在全国组织工作会议上的讲话

（2018年7月3日）

习　近　平

人　民　出　版　社

在全国组织工作会议上的讲话

（2018 年 7 月 3 日）

习　近　平

党的 97 周岁生日刚过，我们就召开全国组织工作会议，目的是继续发挥党的组织优势，激发全党的奋斗精神，以更好的状态、更实的作风团结带领全国各族人民奋力谱写新时代中国特色社会主义新篇章。

我讲过，中国特色社会主义进入新时代，我们党一定要有新气象新作为，关键是党的建设新的伟大工程要开创新局面。对今后 5 年党的组织工作，陈希同志还要讲。这里，我重点围绕新时代党的组织路线为党的政治路线服务讲几点意见。

一、党的十八大以来党的建设和组织工作

党的十八大之前，面对一个时期以来党内存在的突出问题，全党是忧心忡忡的，我是忧心忡忡的。想来想去，打铁必须自身硬。党的十八大之后，党中央作出全面从严治党的战略部署，以坚定决心、顽强意志加以推进，团结带领全党开创了党的建设新局面，为党和国家事业取得历史性成就、发生历史性变革提供了坚强政治保证。

在这个过程中，我们主要抓了以下重点工作。

一是坚持和加强党的全面领导。党政军民学，东西南北中，党是领导一切的。坚持党的领导，首先是坚持党中央权威和集中统一领导，这是党的领导的最高原则，任何时候任何情况下都不能含糊、不能动摇。我们要求全党尊崇党章，增强政治意识、大局意识、核心意识、看齐意识，完善坚持党的领导的体制机制，提高党把方向、谋大局、定政策、促改革的能力和定力，坚决扭转一些地方

和部门存在的党的领导弱化、党的建设缺失现象，确保全党在思想上政治上行动上同党中央保持高度一致。

二是坚持新时代党的建设总要求。我们提出新时代党的建设总要求，坚持和加强党的全面领导，坚持党要管党、全面从严治党，以加强党的长期执政能力建设、先进性和纯洁性建设为主线，以党的政治建设为统领，以坚定理想信念宗旨为根基，以调动全党积极性、主动性、创造性为着力点，全面推进党的政治建设、思想建设、组织建设、作风建设、纪律建设，把制度建设贯穿其中，深入推进反腐败斗争，不断提高党的建设质量，把党建设成为始终走在时代前列、人民衷心拥护、勇于自我革命、经得起各种风浪考验、朝气蓬勃的马克思主义执政党。

三是坚持党要管党、全面从严治党。我们把全面从严治党纳入“四个全面”战略布局，坚持真管真严、敢管敢严、长管长严，坚持思想从严、执纪从严、治吏从严、作风从严、反腐从严，保持战略定力，拿出恒心韧劲，落实管党治党责任，不断推动全面从严治党向纵深发展。我们坚持党建工作和中心工作一起谋划、一起部署、一起考核，坚决防止"一手硬、一手软"。我们坚持目标导向和问题导向相结合，既从顶层设计上谋划党的建设布局，又从举措方法上聚焦解决突出问题，打出一套当下"改"、长久"立"的组合拳。

*四是坚持把党的政治建设摆在首位。*旗帜鲜明讲政治是我们党作为马克思主义政党的根本要求，党的政治建设是党的根本性建设，决定着党的建设方向和效果。我们着眼于保持和发展党在政治上的先进性，引导全党增强"四个意识"、坚定"四个自信"，把握政治方向，加强政治领导，夯实政治根基，涵养政治生态，防范政治风险，永葆政治本色，提高政治能力。

*五是坚持思想建党和制度治党同向发力。*思想理论是灵魂，制度建设是保障。我们既注重解决思想问题、拧紧"总开关"，又注重解决制度问题、上紧制度规矩发条。我们要求全党树立革命

理想高于天的理念，不断补钙壮骨、固本培元，重点用新时代中国特色社会主义思想武装头脑，自觉做共产主义远大理想和中国特色社会主义共同理想的坚定信仰者、忠实实践者。我们推动形成配套完备、有效管用的党内法规制度体系，强化依规治党，维护法规制度严肃性和权威性，不留“暗门”、不开“天窗”，真正让铁规发力、让禁令生威。

六是坚持贯彻新时期好干部标准。我们落实党管干部原则，强化党组织领导和把关作用，着力培养选拔信念坚定、为民服务、勤政务实、敢于担当、清正廉洁的好干部。我们坚持德才兼备、以德为先，坚持五湖四海、任人唯贤，突出政治标准，培养造就忠诚干净担当的干部队伍。我们严把选人用人政治关、品行关、作风关、廉洁关，改进干部推荐考察方式，坚持“凡提四必”，坚决纠正选人用人上的“四唯”问题，防止干部“带病提拔”，推进干部能上能下，坚决匡正选人用人风气。我们坚持党管人才原则，以识才的慧眼、爱才的诚意、用才的胆识、容才的雅量、聚才的良方，把党内外、国内外各方面优秀人才集聚到党和人民的伟大奋斗中来。

七是坚持强基固本。我们树立大抓基层鲜明导向，持续整顿软弱涣散基层党组织，推动基层党组织全面进步、全面过硬。我们以提升组织力为重点，突出政治功能，把各领域基层党组织建设成为宣传党的主张、贯彻党的决定、领导基层治理、团结动员群众、推动改革发展的坚强战斗堡垒，要求党支部担负好直接教育党员、管理党员、监督党员和组织群众、宣传群众、凝聚群众、服务群众的职责，引导广大党员发挥先锋模范作用。

八是坚持正风肃纪、严惩腐败。我们坚持从领导干部抓起，落实中央八项规定及其实施细则精神，以抓铁有痕、踏石留印的劲头，坚持抓常、抓细、抓长，坚决反对形式主义、官僚主义、享乐主义和奢靡之风。我们用铁的纪律维护党的团结统一，把纪律和规矩挺在前面，突出抓政治纪律和政治规矩，坚持纪律面前一律平等。我们运用监督执纪"四种形态"，抓早抓小、防微杜渐，让党员、干部知敬畏、存戒惧、守底线。我们坚持“老虎”、“苍蝇”一起打，坚持无禁区、全覆盖、零容忍，坚持重遏制、强高压、长震慑，强化不敢腐的震慑，扎牢不能腐的笼子，增强不想腐的自觉，通过不懈努力，夺取了反腐败斗争压倒性胜利。

总之，党的十八大以来，我们以刀刃向内的自我革命精神，直面党内存在的突出问题，以理论武装凝心聚魂，以整饬作风激浊扬清，以严明纪律强化约束，以从严治吏匡正用人导向，以“打虎”、“拍蝇”、“猎狐”惩治腐败，刹住了一些过去被认为不容易刹住的歪风邪气，攻克了一些司空见惯的顽瘴痼疾，解决了许多长期想解决而没有解决的难题，消除了党和国家内部存在的严重隐患，党内政治生态明显好转，党的创造力、凝聚力、战斗力显著增强，党群关系明显改善，党在革命性锻造中更加坚强，以党的伟大自我革命推动了伟大的社会革命。

回过头来看，如果没有全面从严治党，就不可能有党和国家今天这样的大好局面。实践深化了我们对马克思主义执政党建设规律的认识。对我们取得的实践成果和理论成果必须长期坚持，并不断丰富发展。

二、新时代党的建设和党的组织路线

我在党的十九大上强调，伟大斗争、伟大工程、伟大事业、伟大梦想，其中起决定性作用的是党的建设新的伟大工程。要把新时代坚持和发展中国特色社会主义这场伟大社会革命进行好，我们党必须勇于进行自我革命，把党建设得更加坚强有力。

党的十八大以来，我们推进全面从严治党取得了显著成效，但还远未到大功告成的时候。我们党面临的“四大考验”、“四种危险”是长期的、尖锐的，影响党的先进性、弱化党的纯洁性的因素也是复杂的，党内存在的思想不纯、政治不纯、组织不纯、作风不纯等突出问题尚未得到根本解决。一些老问题反弹回潮的因素依然存在，实践中还在出现一些新情况新问题。在党员、干部队伍中，有的不守政治纪律和政治规矩，妄议中央大政方针，当面一套、背后一套，当两面派、做两面人；有的理想信念“总开关”常年失修，对共产主义心存怀疑，不信马列信鬼神，世界观、人生观、价值观全面蜕变；有的干事创业精气神不够，不担当、不作为，奉行“既不落后头，也不出风头”，怕决策失误，不敢拍板定事，干工作推诿拖延；有的热衷于搞“小圈子”、“拜码头”、“搭天线”；有的反对形式主义、官僚主义、享乐主义和奢靡之风不坚决、不彻底，耍花样，搞变通；有的不顾党中央三令五申，依然不收敛、不收手，以权谋私、腐败堕落；有的基层党组织政治功能不强，弱化、虚化、边缘化问题没有解决；有的地方人才队伍发展不平衡不充分、创新创造活力不强，有的引才不切实际，贪大、贪高、贪洋；有的地方和单位管党治党意识不强，履行管党治党政治责任不到位，甚至不愿不屑抓党建，等等。这些问题，严重破坏党的团结和集中统一，严重影响党和人民事业发展。

特别是要看到，在新时代，我们党领导人民进行伟大社会革命，涵盖领域的广泛性、触及利益格局调整的深刻性、涉及矛盾和问题的尖锐性、突破体制机制障碍的艰巨性、进行伟大斗争形势的复杂性，都是前所未有的。我们必须增强忧患意识、责任意识，把党的伟大自我革命进行到底。

邓小平同志曾经指出："正确的政治路线要靠正确的组织路线来保证。"我们党一路走来，始终坚持组织路线服务政治路线。党的一大党纲就规定了党的组织建设的原则。党的六大明确提出"组织路线"的概念。1929 年召开的古田会议要求"努力去改造党的组织，务使党的组织确实能担负党的政治任务"。在 1938 年召开的党的六届六中全会上，毛泽东同志明确指出，"政治路线确定之后，干部就是决定的因素"，并提出"才德兼备"的干部标准和"任人唯贤"的干部路线。新中国成立后，我们党着眼社会主义革命和建设的需要，强调各行各业干部要又红又专。党的十一届三中全会以后，邓小平同志明确指出，"中国的稳定，四个现代化的实现，要有正确的组织路线来保证”，并提出了干部队伍革命化、年轻化、知识化、专业化的方针。

“秉纲而目自张，执本而末自从。”组织路线对坚持党的领导、加强党的建设、做好党的组织工作具有十分重要的意义。现在，需要明确提出新时代党的组织路线，这就是：全面贯彻新时代中国特色社会主义思想，以组织体系建设为重点，着力培养忠诚干净担当的高素质干部，着力集聚爱国奉献的各方面优秀人才，坚持德才兼备、以德为先、任人唯贤，为坚持和加强党的全面领导、坚持和发展中国特色社会主义提供坚强组织保证。新时代党的组织路线是理论的也是实践的，要在推进党的建设新的伟大工程、落实全面从严治党的实践中切实贯彻落实。

三、以组织体系建设为重点

党的力量来自组织。党的全面领导、党的全部工作要靠党的坚强组织体系去实现。进入新时代，开启新征程，我们必须更加注重党的组织体系建设，不断增强党的政治领导力、思想引领力、群众组织力、社会号召力，把党员组织起来，把人才凝聚起来，把群众动员起来，为实现党的十九大提出的宏伟目标团结奋斗。

我们党是按照马克思主义建党原则建立起来的，形成了包括党的中央组织、地方组织、基层组织在内的严密组织体系。这是世界上任何其他政党都不具有的强大优势。党中央是大脑和中枢，党中央必须有定于一尊、一锤定音的权威，这样才能“如身使臂，如臂使指，叱咤变化，无有留难，则天下之势一矣”。党的地方组织的根本任务是确保党中央决策部署贯彻落实，有令即行、有禁即止。党组在党的组织体系中具有特殊地位，要贯彻落实党中央和上级党组织决策部署，发挥好把方向、管大局、保落实的重要作用。每个党员特别是领导干部都要强化党的意识和组织观念，自觉做到思想上认同组织、政治上依靠组织、工作上服从组织、感情上信赖组织。

这里，我想特别强调一下党的基层组织建设

问题。党的基层组织是党的肌体的“神经末梢”，要发挥好战斗堡垒作用。落地才能生根，根深才能叶茂。加强党的基层组织建设，关键是从严抓好落实。当前，党的领导落实到基层还有不少“中梗阻”。在一些国有企业，党的领导融入公司治理在总部一级做得比较好，再往下延伸则存在层层递减问题。在高校，党委领导下的校长负责制是明确的，但把党的领导贯穿办学治校、教书育人全过程则存在较大差距。在中小学、医院、科研院所，党组织领导的校长（院长、所长）负责制还没有建立起来。至于社会组织特别是各种学会、协会的党建工作，大多没有真正破题。对这些问题，各级党委和组织部门要进行系统梳理，理顺体制，完善机制，把党的领导贯彻落实到位，把党的建设落到实处。

“欲筑室者，先治其基。”基层党组织是党执政大厦的地基，地基固则大厦坚，地基松则大厦倾。加强基层党组织建设，要以提升组织力为重点，突出政治功能。要健全基层组织，优化组织设置，理顺隶属关系，创新活动方式，扩大基层党的组织覆盖和工作覆盖。要加强企业、农村、机关、事业单位、社区等各领域党建工作，推动基层党组织全面进步、全面过硬。要加强社会组织党的建设，全面增强党对各类各级社会组织的领导。要探索加强新兴业态和互联网党建工作，扩大党在新兴领域的号召力和凝聚力。要加强支部标准化、规范化建设。要严把发展党员入口关，把政治标准放在首位，对那些政治上不合格、想混入党内捞好处的人，一个都不能要。要严格党员教育管理，严格组织生活，加强理论教育、形势教育和革命传统教育。

基层党组织组织能力强不强，抓重大任务落实是试金石，也是磨刀石。党中央制定了一系列重大战略、部署了一系列重大工作，基层党组织就要在贯彻落实中发挥领导作用。要强化政治引领，发挥党的群众工作优势和党员先锋模范作用，引领基层各类组织自觉贯彻党的主张，确保基层治理正确方向。要构建党组织统一领导、各类组织积极协同、广大群众广泛参与的基层治理体系。要把服务群众、造福群众作为基层治理的出发点和落脚点，通过不断增强人民群众的获得感、幸福感、安全感，赢得群众对党的信任和拥护。要深入开展整治村霸、“蝇贪”、宗族恶势力、基层黑势力等专项斗争，着力解决一些基层政权被干扰侵蚀问题，净化修复农村基层政治生态。

提高党的建设质量，是党的十九大总结实践经验、顺应新时代党的建设总要求提出的重大课题。党的十八大以来，我在不同场合多次强调党的建设质量问题，包括要提高发展党员质量、提高教育实践活动质量、提高选人用人质量、提高党内政治生活质量、提高人才培养质量、提高党的制度建设质量，等等。这些都不是就事论事讲的，而是着眼于永葆党的先进性和纯洁性提出来的，是新时代党的建设必须努力达到的要求。

现在，从各方面反映看，一些地方和部门党建工作还存在重形式轻内容、重过程轻结果、重数量轻质量的问题，看起来热热闹闹，实际效果却不佳，甚至与中心工作“两张皮”、没有什么效果。提高党的建设质量，既要坚持和发扬我们党加强自身建设形成的优良传统和成功经验，又要根据党的建设面临的新情况新问题大力推进改革创新，用新的思路、举措、办法解决新的矛盾和问题。

四、着力培养忠诚干净担当的高素质干部

“育才造士，为国之本。”贯彻新时代党的组织路线，建设忠诚干净担当的高素质干部队伍是关键，重点是要做好干部培育、选拔、管理、使用工作。

第一，建立源头培养、跟踪培养、全程培养的素质培养体系。干部素质培养是一个长期过程，不是朝夕之功。刚参加工作的干部就像小树苗一样，需要精心浇灌、修枝剪叶，基础打扎实了才能茁壮成长。要教育引导干部一开始就想明白当干部为什么、在岗位干什么，走好从政第一步。要教育引导干部加强党性修养、筑牢信仰之基，加强政

德修养、打牢从政之基，严守纪律规矩、夯实廉政之基，健全基本知识体系、强化能力之基。要教育引导干部守纪律、讲规矩，不要跟组织玩小聪明，否则总有一天会毁了自己。组织上对干部不能“放养”，而要及时掌握动态，有针对性地补短板、强弱项，帮助干部一步步成长起来。要增强干部素质培养的系统性、持续性、针对性，优化干部成长路径，积极创造条件、搭建平台，不能预设晋升路线图，把理想信念教育、知识结构改善、能力素质提升贯穿干部成长全过程。

第二，建立日常考核、分类考核、近距离考核的知事识人体系。“治本在得人，得人在审举，审举在核真。”一些地方和单位干部选得不准，有的干部“带病提拔”、“带病上岗”，跟考核不深、识人不准有直接关系。一些地方不提拔不考核、不换届不考核、不到年底不考核，对干部日常工作和平时表现了解不够；有的考核流于形式走过场，考核手段单一、方法简单，不在现场看、不见具体事，雾里看花、朦朦胧胧；有的考核重点不突出、针对性不强,“一刀切”、“一锅煮”,一种考核办法包打天下。考核干部要经常化、制度化、全覆盖,既把功夫下在平时,全方位、多渠道了解干部,又注重了解干部在完成急难险重任务、处理复杂问题、应对重大考验中的表现,既在小事上察德辨才,更在大事上看德识才。要强化分类考核,对资源禀赋、基础水平、发展阶段、主体功能区定位不同的地区在考核内容上要区别对待。对主要领导干部和班子成员、不同岗位的领导干部也应有不同的考核要求,不能搞“上下一般粗”、“左右一个样”。“近水知鱼性,近山识鸟音。”我讲过,要近距离接触干部,看干部对重大问题的思考、对群众的感情、对待名利的态度、为人处世方式、处理复杂问题能力。干部业绩在实践,干部声名在民间。要带上“望远镜”、“显微镜”,对干部近距离接触、多角度考察;多到基层干部群众中、多在乡语口碑中了解干部,使选出来的干部组织放心、群众满意、干部服气。要把研究人和研究事结合起来,避免从抽象到抽象,凭感觉下结论。

第三,建立以德为先、任人唯贤、人事相宜的选拔任用体系。选什么样的人、从哪里选人、怎么用人是干部选拔任用的关键问题。选什么样的人?就是要坚持好干部标准,把政治标准放在第一位。政治标准是硬杠杠。这一条不过关,其他都不过关。如果政治不合格,能耐再大也不能用。司马光说:“君子挟才以为善,小人挟才以为恶。挟才以为善者,善无不至矣;挟才以为恶者,恶亦无不至矣”,“自古昔以来,国之乱臣、家之败子,才有余而德不足,以至于颠覆者多矣”。我们今天讲的“德”,第一位的是政治品德。政治上有问题的人,能力越强、职位越高,危害就越大。我们选用的干部必须是政治上过得硬、靠得住的干部。看一个干部政治素质高不高,主要看是否树立“四个意识”、坚定“四个自信”,是否坚决维护党中央权威和集中统一领导,是否全面贯彻执行党的理论和路线方针政策,是否积极贯彻落实党中央重大决策部署,是否忠诚干净担当。

政治问题有的是灵魂深处的东西,特别是政

治上的两面人，有很强的隐蔽性和迷惑性，识别起来确实比较难，但也不是不能发现。“审其所好恶，则其长短可知也；观其交游，则其贤不肖可察也。”要透过现象看本质，既听其言、更观其行，既察其表、更析其里，看政治忠诚，看政治定力，看政治担当，看政治能力，看政治自律。

“人非圣贤，孰能无过。”每个干部都有这样那样的缺点和不足，对此要实事求是、正确对待，不能不问青红皂白、一棍子打死。走前人没有走过的路、做前人没有做过的事，难免出现瑕疵和失误。如果一味求全责备，干部的积极性就会遭到伤害。当干部因敢抓敢管、敢闯敢试而遭遇挫折失误、受到非议时，当干部埋头苦干、业绩突出却因风气不正长期受到冷落和不公平对待时，当干部因不实举报受到委屈、被人误解时，组织上要为他们说公道话，为他们加油鼓劲、撑腰壮胆，该澄清的及时澄清，该正名的公开正名，使他们放下包袱、轻装上阵，心情畅快投入到工作中去。

从哪里选人？就是要坚持五湖四海、任人唯

贤，广开进贤之路。“治天下者，用人非止一端，故取士不以一路。”要打开视野、不拘一格，坚持干部工作一盘棋，除了党政机关，还要注重从国有企业、高等学校、科研院所等各个领域各条战线选拔优秀人才。人选来源渠道拓宽了，更有利于好中选优、优中选强。正所谓“凡用人之道，采之欲博，辨之欲精，使之欲适，任之欲专”。

怎么用人？就是要坚持事业为上，以事择人、人岗相适。古人说：“为官择人者治，为人择官者乱。”用干部是为了干好事业。过去战争年代，谁能打仗、打胜仗谁就上，而不是考虑谁的资历老、级别高谁才上。选人用人，要坚持事业需要什么样的人就选什么样的人，岗位缺什么样的人就配什么样的人，不能论资排辈、平衡照顾。要正确把握事业发展需要和干部成长进步的关系，把合适的干部放到合适的岗位上。

第四，建立管思想、管工作、管作风、管纪律的从严管理体系。好干部是选出来的，更是管出来的。严管就是厚爱，是对干部真正负责。对干部要加强全方位管理，把行为管理和思想管理统一起来，把工作圈管理和社交圈管理衔接起来，把八小时之内的管理和八小时之外的管理贯通起来。要在日常监督上下功夫，坚持抓早抓小、防微杜渐，发现苗头性、倾向性问题及时批评教育，经常敲响思想警钟，使咬耳扯袖、红脸出汗成为常态。要加强党内监督，贯彻民主集中制，严格组织生活，用好批评和自我批评的锐利武器，完善体制机制，管好关键人、管到关键处、管住关键事、管在关键时，特别是要把一把手管住管好。同时，要综合发挥群众监督、舆论监督等作用，形成监督合力。

第五，建立崇尚实干、带动担当、加油鼓劲的正向激励体系。干部干部，要干字当头。这既是职责要求，也是从政本分。前不久，党中央出台了《关于进一步激励广大干部新时代新担当新作为的意见》，反响很好，要抓好落实。“善用人者，必使有材者竭其力，有识者竭其谋。”对干部最大的激励是正确用人导向，用好一个人能激励一大片。对敢于负责、勇于担当、善于作为、实绩突出的干部，要及时大胆用起来，让干部看到只要真干事、能干事、干成事，组织上是不会埋没的。对不作为的干部，坚决果断调下去，不让那些做样子、混日子、要位子的“官油子”得势得利。我们要在选人用人上体现讲担当、重担当的鲜明导向，把敢不敢扛事、愿不愿做事、能不能干事作为识别干部、评判优劣、奖惩升降的重要标准，把干部干了什么事、干了多少事、干的事群众认不认可作为选拔干部的根本依据，激励各级干部撸起袖子加油干。要注重发挥榜样的激励作用，让干部对照找差距、努力有方向。要真情关爱干部，帮助解决实际困难，关注身心健康，让广大干部安心、安身、安业。对基层干部特别是困难艰苦地区和奋战在脱贫攻坚第一线的干部，要给予更多理解和支持，在政策、待遇等方面给予倾斜。

五、着力集聚爱国奉献的各方面优秀人才

千秋基业，人才为本。当前，全球范围内新一

轮科技革命和产业变革蓬勃兴起，世界各国都在抢抓机遇，国际人才争夺日趋白热化。我们必须加快实施人才强国战略，确立人才引领发展的战略地位，努力建设一支矢志爱国奉献、勇于创新创造的优秀人才队伍。

要深化人才发展体制机制改革，最大限度把广大人才的报国情怀、奋斗精神、创造活力激发出来。要完善人才培养机制，遵循社会主义市场经济规律和人才成长规律，以国家发展需要和社会需求为导向，以培养人才创新精神和创新能力为重点，以提高思想道德素质和职业精神为基础，形成协同育人模式。要改进人才评价机制，避免简单以学术头衔、人才称号确定薪酬待遇、配置学术资源的倾向，推动人才"帽子"、人才称号回归学术性、荣誉性本质。要创新人才流动机制，打破户籍、身份、学历、人事关系等制约，促进城乡、区域、行业和不同所有制之间人才协调发展，鼓励引导人才向艰苦边远地区和基层一线流动。要健全人才激励机制，让机构、人才、市场、资金充分活跃起来。要注重吸引和使用人才，但各地引才政策要符合实际，坚持需求导向，统筹考虑就业、教育、医疗、交通等承载能力，不要乱发“帽子”，不要简单许诺一大堆物质条件，不要没有目的地撒大网，要坚持从实际出发，把人才工作做扎实。

不拒众流，方为江海。要实行更加积极、更加开放、更加有效的人才引进政策，集四海之气，借八方之力，聚天下英才而用之。要着眼“高精尖缺”、坚持需求导向，用好全球创新资源，精准引进急需紧缺人才。要强化效益意识和柔性引才理念，不求所有、但求所用，不求所在、但求所为，既可以在国外调动人才离岸搞创新，也可以吸引“候鸟型人才”兼职搞创新。

我们常讲，做人要有气节、有人格。气节也好，人格也好，爱国是第一位的。要广泛宣传表彰爱国报国、为党和人民事业作出突出贡献的优秀人才，在知识分子和广大人才中大力弘扬爱国奉献精神，激励他们的爱国之情、报国之志。要加强对人才的政治引领，做好各类人才教育培训、国情研修等工作，增强他们的政治认同感和向心力，实现增人数和得人心有机统一。要做好联系服务人才工作，政治上充分信任、工作上创造条件、生活上关心照顾，多为他们办实事做好事解难事。领导干部要带头联系专家，加强思想沟通和感情交流，当好“后勤部长”，为他们发挥聪明才智创造良好条件。

六、做好年轻干部工作

实现中华民族伟大复兴，坚持和发展中国特色社会主义，关键在党，关键在人，归根到底在培养造就一代又一代可靠接班人。这是党和国家事业发展的百年大计。

我们党培养接班人有比较完备的制度，这是中国特色社会主义政治制度的独特优势。早在延安时期，我们党就提出“有计划地培养大批的新干部，就是我们的战斗任务”。上世纪60年代初，我们党提出了培养造就千百万无产阶级革命事业接班人的战略任务。党的十一届三中全会后，针对干部队伍青黄不接的严峻形势，在提出干部队伍“四化”方针的基础上，开展了“第三梯队”建设。通过几十年努力，干部队伍基本形成老中青年龄梯次结构，培养选拔优秀年轻干部工作站到了新的历史起点上。

现在，改革开放前入党和参加工作的干部已经或将要退出岗位，70后、80后以至90后的年轻干部成为干部队伍的主体。这些干部受过高等教育，思维活跃，勇于创新，为干部队伍注入了生机活力，同时他们相对缺乏系统的马克思主义理论学习和严格的党内政治生活锻炼，有的缺乏基层和艰苦地方磨炼，有的缺乏关键岗位扎实历练，有的做群众工作本领不够强，有的担当作为的底气还不足。现在，一些地方、部门和单位对年轻干部工作重视不够、抓落实不够，重选拔轻培养和论资排辈、平衡照顾现象比较突出，企事业单位优秀人才进入党政干部队伍的渠道不够畅通，等等。这些问题，要抓紧加以解决。

总体上讲，我们要建设一支忠实贯彻新时代中国特色社会主义思想、符合新时期好干部标准、忠诚干净担当、数量充足、充满活力的高素质专业化年轻干部队伍。

优秀年轻干部必须对党忠诚，坚持走中国特色社会主义道路，坚定不移听党话、跟党走。党的十八大以来我们查处了一大批高级干部，有的还是党和国家领导层的干部，哪里像党的高级干部？连做普通党员都不配！关键就是对党忠诚出了问题。我们挑选优秀年轻干部，千条万条，第一条就是看是否对党忠诚；我们培养优秀年轻干部，千条万条，第一条就是教育他们对党忠诚，坚决防止政治上的两面人。这一点，从一开始就要把握好，确保选的苗子政治上过硬。如果坯子选不好，辛辛苦苦培养一场，最终还是会出问题。忠诚不是挂在嘴上、写在纸上的，而是要体现在实际行动上。有人说，只要不反党反社会主义，就不能说对党忠诚有问题。这样的认识是很肤浅的。有的干部工作上拈轻怕重、不愿到艰苦地方和岗位工作，能说对党忠诚吗？有的干部报告个人有关事项打埋伏、八小时之外找不到人，能说对党忠诚吗？这样的干部，真到了关键时刻能靠得住吗？

优秀年轻干部要有足够本领来接班。要加强学习、积累经验、增长才干，自觉向实践学习、拜人民为师。要沉下心来干工作，心无旁骛钻业务，干一行、爱一行、精一行。要信念如磐、意志如铁、勇往直前，遇到挫折撑得住，关键时刻顶得住，扛得了重活，打得了硬仗，经得住磨难，勤勤恳恳、任劳任怨，不图名、不图利，专心致志做好工作。如果这山望着那山高，觉得单位“庙小”了，岗位“屈才”了，三心二意、心猿意马，是不能把工作干好的。如果只能顺风顺水，不能逆水行舟，遇到困难就打退堂鼓，受到挫折就意志消沉，抗压能力弱，一遇事就崩溃，也是不能把工作干好的。如果只是把党交付的工作当作一个职业、一个饭碗，斤斤计较个人得失，而不是作为一种责任，更是不能把工作干好的。当然，组织上也要关心年轻干部工作生活，帮助解决实际困难。

优秀年轻干部要把当老实人、讲老实话、做老实事作为人生信条。“言过其实，不可大用。”年轻干部如果急功近利、患得患失、投机取巧、见风使舵，处事圆滑，见人说人话、见鬼说鬼话，或者搞自我包装、花里胡哨、花拳绣腿，那是没有前途的！要教育引导年轻干部牢记“堤溃蚁孔，气泄针芒”的古训，慎独慎初慎微慎欲，经受住权力、金钱、美色等考验。人都有七情六欲，最难战胜的是自己。《论语》中说，要“修己以敬”、“修己以安人”、“修己以安百姓”。优秀年轻干部要强化自我修炼，正心明道，防微杜渐，做到有原则、有底线、有规矩，“心不动于微利之诱，目不眩于五色之惑”。

优秀年轻干部既要数量充足，又要质量优良。各地区各部门要着眼近期需求和长远战略需要，培养选拔一定数量规模的优秀年轻干部，其中女干部、少数民族干部、党外干部都要有一定数量。三百六十行，行行出状元。培养选拔优秀年轻干部要放眼各条战线、各个领域、各个行业，广开进贤之路、广纳天下英才。培养选拔优秀年轻干部，要在质的提升上下大功夫。随着中国特色社会主义事业不断向前推进，专业化、专门化、精细化要求越来越高,要注意培养有专业背景的复合型领导干部。培养复合型领导干部,跨领域交流是行之有效的途径。有的干部要从国企、教育、科研等单位选进党政班子,可以早一点过来,晚了会影响培养效果。要注重培养具有国际视野、战略思维的干部。在选干部、配班子时不能只看年轻干部“有没有”、“有多少”,更要看“好不好”、“优不优”,这一点在工作中要把握好。

“一年之计,莫如树谷;十年之计,莫如树木;终身之计,莫如树人。”干部成长规律决定了干部培养要有足够时间,不仅着眼未来5年、10年,更要着眼未来15年、20年乃至更长时间。我们党坚持一层一层考验、递进式培养干部,这是我们的制度优势。年轻干部培养,不能搞大水漫灌,更不能任其自然生长,要精耕细作,加强田间管理,及时施肥浇水、修枝剪叶、驱虫防病。要突出政治训练,重点是学习党的理论特别是新时代中国特色社会主义思想,学习党的革命历史和优良传统。这个事情不要怕花时间、花精力。政治训练不可能毕其功于一役，不是搞几次培训就万事大吉了，而要持续用力、久久为功。

“路不险则无以知马之良，任不重则无以知人之德。”人在事上练，刀在石上磨。有些干部，看简历有基层工作经历，但并没有经过实实在在的磨炼。有的“名在人不在”，有的“身在心不在”，有的“时在时不在”，这是混基层经历的！战国赵括纸上谈兵、两晋学士虚谈废务的历史教训值得记取。要强化实践磨炼，把火热的实践作为最好的课堂，让干部经风雨、见世面、壮筋骨、长才干。对有潜力的优秀年轻干部，还要让他们经受吃劲岗位、重要岗位的磨炼，把重担压到他们身上，在难事急事乃至“热锅上蚂蚁”一样的经历中经受摔打。吃劲岗位、重要岗位磨炼，要有完整周期。年轻干部有培养前途的要放到基层去锻炼。下去要真下去，而不是去“镀金”。有些年轻干部放下去了，不是挂职、兼职，就是到当地任职，行就行，不行就不行，赛场选马，优胜劣汰。速生树材质疏松，是做不了扁担的，做了就会把担子挑翻。

对优秀年轻干部，组织上要注意跟踪，“善则赏之，过则匡之，患则救之，失则革之”。

“人才自古要养成，放使干霄战风雨。”对有培养前途的优秀年轻干部，要不拘一格大胆使用。不拘一格不等于破格提拔，而是要破除论资排辈、平衡照顾、求全责备等观念，打破隐性台阶。必要的台阶资历是积累领导经验所需要的，但讲台阶不能抠台阶，论资历不能唯资历。“高才者处以重任，不问出入。”要辩证把握年轻干部使用快慢关系，不要做欲速则不达的事。选拔干部不是越年轻越好，要防止拔苗助长，不能单纯为弥补经历而频繁调整其工作岗位。

培养选拔年轻干部，要坚持系统思维和全局观念。优秀年轻干部不能搞成特殊群体，不能像“储君”一样供在那里坐等提拔。要动态更新，把相形见绌的调整出去，同时注意补充新的优秀人选，始终保持一池活水。要在干部工作全局中推进年轻干部工作，不能只盯着少数年轻干部使用，一提拔他们永远都赶上点，别人永远赶不上点。

年轻干部选拔任用要严格标准、严格把关。前些年有些地方“火箭提拔”年轻干部，在社会上产生了不良影响，要引以为戒。要发挥好各年龄段干部积极性，让整个干部队伍都有干劲、有奔头、有希望。

做好年轻干部工作是全党的共同任务。各级党委（党组）要把关心年轻干部健康成长作为义不容辞的政治责任，加强长远规划，健全工作责任制，及时发现、培养起用优秀年轻干部。我们培养选拔的是党和人民事业的接班人，不是领导干部个人的接班人，不能形成人身依附关系。接班人是个整体概念，不能作机械理解，不是指某个具体的人。要教育引导年轻干部立志接好党和人民事业的班，而不是考虑接某个职位的班。我们是党管干部、组织选人，年轻干部不能搞自我设计，自己考虑多了就容易违背组织原则。我在 2013 年全国组织工作会议上讲过，成长为一个好干部，一靠自身努力，二靠组织培养。自身努力不是自我设计，不是自己想着几年干到什么职位，而是要加强政治历练、实践磨炼，成长为忠诚于党、对祖国有用的人。

各级党委（党组）要加强对党的建设的领导，扛起主责、抓好主业、当好主角，把每条战线、每个领域、每个环节的党建工作抓具体、抓深入。党委（党组）书记作为第一责任人，要牢固树立"抓好党建是本职、不抓党建是失职、抓不好党建是不称职"的观念，推动党建责任层层落实落地，把党建工作抓实、抓细、抓到位。

同志们！组织部门和组工干部队伍使命光荣、责任重大。我在2013年全国组织工作会议上讲过，要努力把各级组织部门建设成为讲政治、重公道、业务精、作风好的模范部门。5年多来，各级组织部门认真贯彻党中央要求，做得是好的，希望大家继续坚持和发扬。对组工干部来说，第一位的是政治上绝对可靠、对党绝对忠诚。组织工作是一门科学，专业性很强，要有过硬的专业能力、专业精神。我在地方工作的时候就有体会，管干部用干部的干部，要有"瞻山识璞、临川知珠"

的识人慧眼,要有“劝君参透短长理,自有人才涌似云”的用人之道,要有“众里寻他千百度”的爱才之心,要有“铁肩担道义”的忠诚公道。希望大家都能有这样的境界、格局、本领。

图书在版编目(CIP)数据

在全国组织工作会议上的讲话:2018年7月3日/习近平 著.—
北京:人民出版社,2018.12
ISBN 978-7-01-018950-5

Ⅰ.①在… Ⅱ.①习… Ⅲ.①习近平-讲话-学习参考资料
②中国共产党-组织工作-学习参考资料 Ⅳ.①D2-0②D262.2

中国版本图书馆CIP数据核字(2018)第284370号

(RMC-ZJDXI-071-20180703)

在全国组织工作会议上的讲话

ZAI QUANGUO ZUZHI GONGZUO HUIYI SHANG DE JIANGHUA

(2018年7月3日)

习 近 平

人民出版社 出版发行
(100706 北京市东城区隆福寺街99号)

北京新华印刷有限公司印刷 新华书店经销

2018年12月第1版 2018年12月北京第1次印刷
开本:880毫米×1230毫米 1/32 印张:1.25
字数:16千字

ISBN 978-7-01-018950-5 定价:3.50元

邮购地址 100706 北京市东城区隆福寺街99号
人民东方图书销售中心 电话 (010)65250042 65289539